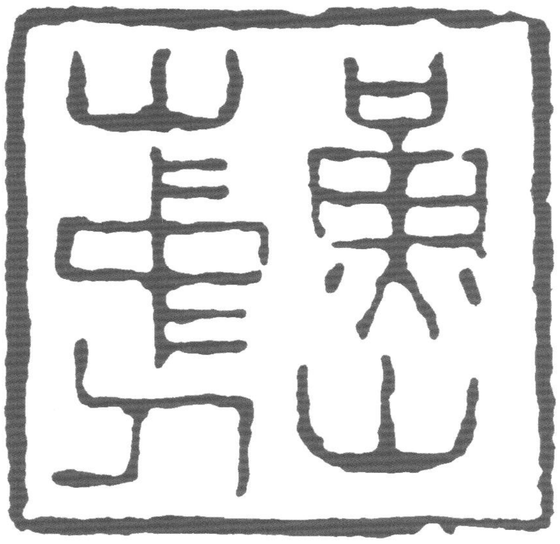

《黃賓虹全集》編輯委員會編

黃賓虹全集

3

山水卷軸

山東美術出版社·浙江人民美術出版社

主　編・王伯敏
分卷主編・童中燾　王克文　陸秀競　王大川

目次

導語・渾厚華滋 1
山水卷軸圖版・一九五二——一九五三年 1

導語·渾厚華滋

蝴蝶之爲我，我與蝴蝶。若蠶之爲蟻，孵化以後，三眠三起，吐絲成繭，縛束其身，不能鑽穿脱出，即甘鼎鑊。栩栩欲飛，何等自在。學畫當作如是觀，自成一家，非超出古人理法之外（不可）。

——黄賓虹致顧飛信

一九三九年，在北平石駙馬胡同裏，黄賓虹擬寫《畫學之大旨》，列有總論、品流練習、涵養、飛騰五章節。『飛騰』一章引莊子語：栩栩然之蝴蝶，蝶之爲蟻，繼而化蛹，終而成蛾飛去。其旨在論畫家的成功之路，『凡三時期，師今人者，食葉之時代；師古人者，化蛹之時代；師造化者，由三眠三起成蛾飛去之時代』。及至一九五三年九十歲那年，在給弟子顧飛信中再引莊子語，有更深切心得：『既知理法，又苦爲理法所縛束，《莊子·逍遥游》（按應爲《齊物論》）言，蝴蝶之爲我，我與蝴蝶。若蠶之爲蟻，孵化以後，三眠三起，吐絲成繭，縛束其身，不能鑽穿脱出，即甘鼎鑊。栩栩欲飛，何等自在。學畫當作如是觀，自成一家，非超出古人理法之外（不可）。』集大成而爲『大家畫者』的預期，超越理法縛束若穿繭而飛的夢想，就是這近二十年間變得越來越清晰的。

一九四八年黄賓虹八十五歲，從北平南返杭州，開始他生命的最後階段。雖然年望九旬，但激情和體力若有天賜，黄賓虹用生命的最後七年完成這變法之戰役，其成就不僅與自己此前的高度拉開了距離，也在觀念、技法上拉開了與同時輩也致力于山水畫新創的如吴湖帆等人的距離。他的變法之作突出了中國畫的民族性内核，同時又使中國畫的語言系統從古典走向現代，因而具有了近代史的特徵和意義。

黄賓虹八十九歲時，因白内障雙眼一側失視一側模糊。或者冥冥中有生命大限將臨的預感，這一預感又成了其變法高潮的激發點。在雙目近乎失明的狀况下，他放開膽魄嘗試筆、墨、色、水各種表現力的可能性和極限性，或把傳統筆墨的應用推向極致，或將筆墨表現帶往前所未有的實驗。『極限性』與『實驗性』或是黄賓虹變法方略中最重要的特徵，也是我們認識和評估其變法即如何『脱出古人理法栩栩而飛』的兩大切入點。

我們知道，黄賓虹因早年的淡宕疏簡風格被稱爲『白賓虹』，以畫風成熟期的『黑密厚重』被稱爲『黑賓虹』，這只是極粗略簡單的描述。其實疏密繁簡均是黄賓虹一輩子的課題，及至晚年，疏簡與繁密兩種畫格同臻化境。如『密筆山水』，積墨深厚如雕塑般渾凝，即如宋人也或已過之。所謂『北宋人千丘萬壑無一筆不簡』，其理在繁密到極點，反得了單純。而整體的單純中，尤貴層次分明精微之致，正是『從密實處得虛靈難』。同時有一種疏簡風格，全然不是早年所謂『白賓虹』時期的簡淡，而似脱胎于此前的『勾古畫稿』，是爲醞釀已久的『尚簡』之法。僅以樸野剛性如釵股漏痕的綫條，忽忽數筆，淡墨一染而過，山廓林木已兀自挺立。蒼茫、曠遠，一種氣質和力量凛凛而出，一如『元人簡逸從北宋之繁密質實築基，從密實中脱略而來，故極能盤礴』。黄賓虹尤其驚喜的是，歐美也有研究者和畫家能賞識這種『簡筆綫條畫』。

評價黄賓虹晚年變法，都會推重他的墨法精能。在他的七墨法中，除焦墨外，潑、破、漬、宿，皆可爲濃、淡不一的淋漓水墨，也皆可以積墨法叠染。在他八十九歲目疾嚴重時所作的《舟入溪山》㈠一類作品，山林屋舍、溪水舟楫，一切都沉静在汪洋般的水墨暈章中，水墨之厚潤與清透皆到達難能的高度，墨華所能營造的淹潤華滋、細膩豐富都推到了極致。《雨景山水》較相隔二十年的《青城山中坐雨》㈡，點畫更加披離，墨瀋也更漬化，用水墨的淋漓恣肆表現大雨滂沱的過程，亦即將不齊之齊、亂而欲治的矛盾，推向極端，然後以大心力、大腕力舉重若輕化解之。在這裏，水墨表現的『極限』魅力不可抵擋。不可否認，它已突破了傳統範式，打開了新的表現空間。與之相應的渴筆焦墨，雖是承續鄉先賢新安畫人的血脉，但與前人相較，也呈現出更大矛盾即將筆綫的剛與柔、墨色的枯與潤拉開了更大距離。同是渴筆，古人用淡墨，黄賓虹用濃墨；古人下筆輕清，黄賓虹下筆勁健，如刻如鑿，點綫頓生生辣和重量感，并有意不多渲染，强調焦墨綫條與留白間的突兀感，形成更大矛盾張力。作品中有一種甚至純以下筆如鐵的焦墨點綫，絶無渲染，突破了他早年認爲的三種以上墨法方能成畫的規矩。一如武林高手，精熟十八般武藝，却只須一指克敵制勝。

黄賓虹崇拜北宋畫家范寬，因其『槍筆點簇』和『勢壯雄强』，還因此獲得『與其師人者，不若師諸物；與其師于物者，未嘗師諸心』的啓示。從師人到師造物，終歸于一己之心。所以，被我們視爲『實驗』性的變法實踐，絶非空中樓閣，而是如前述將筆墨傳統吃透進而師造化得會心所開拓的新生面。

點、綫的韵律化，即爲『實驗』的一種。所謂『骨法用筆』，大體有皴綫與點厾兩種基本手段，黄賓虹于此有極深入研究。首先他認爲『積點成綫』，點是根本。所著《中國畫點與綫》一文追根溯源説：點，是遠古先人認識、利用、表達自然的一個原點。如火由地生即爲點，隨風而動，其形不可捉摸故爲美；手指五點，是工作萬能之象徵；天外風雲際會，雷動于中，生雲氣環流，雷亦爲點。有鑒于此，黄賓虹認定中國畫的造型原理，根在于『生活之質樸』的那一個點。

黄賓虹七十歲游歷四川時，有『沿皴作點三千點，點到山頭氣韵來』的發現。二十年後的認識更進一步。《蜀中山水》㈢中有論，首先認爲北宋人畫『層層深厚』，皆由『積點而成』，而清四王之所以『凄迷瑣碎』，亦皆因失却了源自『生活質樸』的那個根本的點。由此思路看《蜀中山水》，皴綫隱退或謂還原爲點，全圖基本以積點而成，且落筆如重錘，所謂『以强悍之筆出之』。尤其那最後一遍焦墨點子，斬釘截鐵砸向畫面，無論氣勢還是質感都給人前所未有的震撼。通幅畫面純焦墨點，焦墨點組合排列營造出荒郊野嶺蒼茫無盡的韵律，讓觀者不由頓生象外之感慨。

積點而成的綫條，更能營造韵律之美。在《桃花溪舊迹》㈣這類的作品中，已能看到他力圖脱略宋元以來各種近乎完備的皴法。用一種樸野直拗的綫條，便能構築起伏的山巒和房舍。綫條筆力本身的表現力成了畫面主角，頑强、沉毅，甚至慘烈，看似一場筆與墨『千軍爲掃萬馬倒』的戰争。而這種筆綫的方陣還在幻化，與之構圖相近的一類作品中，具體的林壑、溪橋漸行漸遠，筆綫則被一股内力組合起來，朝着莫名的方向構成莫名的韵律。筆與點綫這時成了運動主角，而透過這樣的韵律能感受到大自然的性情，感受到生命原有的純粹。黄賓虹『栩栩而飛』的夢想，竟然是以這樣的韵律呈現的。

變法的『實驗』，也指向色彩。西方油畫、水彩等品類的涌入，以及所引發的有關色彩或觀念的討論，一定也是黄賓虹的思考點。黄賓虹常强調，中國畫在水墨暈章之前，金碧丹青是爲正宗。只是對『唐人刻劃炫丹青』，即平塗填彩法引發的偏頗，黄賓虹持反思的立場以圖救弊。北宋人能以書法用筆統領用墨達至『渾厚華滋』，那麽，以『寫』來鋪陳色彩，即把色彩當作墨韵是否能成爲救弊方略呢？因爲一去『刻劃』，無論色彩的表現還是『寫』的手段，都將有新的方法和新的天地。這一點，明代陳淳等人的寫意花卉、董其昌的偶爾涉筆，包括同時輩的海上名家如趙之謙、吴昌碩、虛谷等，都可給黄賓虹經驗和靈感。所以，黄賓虹有關色彩的『實驗』，大膽而多樣，有墨隱丹青、墨色互融一類；有以丹青爲主即以色代墨，以筆『寫』色一類；還有一類如《夏山蒼翠圖》㊄，濃墨、重彩，純度很高的色彩抛向濃墨構造的坡岡，但墨不礙色，色不礙墨，墨之濃黑與丹青之明麗形成一種彰顯焕發的互動關係，既有京劇臉譜般的强烈、誇張，也如歐州野獸派的樸野恣肆，而夏山之葱翠欲滴已逼人眉睫矣。

也就在八十九歲那年，黄賓虹讓學生朱硯英記録他的變法見解。其中有言道：『畫有變易、不變易、簡易三者可以盡之。』到這裏，我們或可大致明瞭黄賓虹有關變法的觀念和方略。他的『不變易』，就是堅持他的『民族性』，堅持中國哲學的内核；可『變易』的，是隨時代而變化的觀念與表現手法；其三，此語最耐琢磨，『簡易』當是一種方法論，是一種抽象能力，是面對傳統資源以及山川自然資源的提取、抽象能力，最能體現個性和創造性。在黄賓虹一系列的變法實踐中，被人視爲『實驗性』或『現代元素』的，多是由『簡易』即抽象而來。『變而愈化知所本』，黄賓虹知『本』、守『本』而變法的方略，爲中國藝術的推進提供了新創的經驗。所謂『現代元素』，當是它這種開創體現了這個時代的趨向以及符合這個時代的美學需求。變法即創造，這是黄賓虹給予我們的最重要的啓迪之一。

注释：

㊀見本卷第五〇頁

㊁見第一卷第二三二頁

㊂見第二卷第二九四頁

㊃見本卷第三〇四頁

㊄見本卷第三三二頁

山水卷軸圖版·一九五二——一九五三年

西溪幽境　紙本　縱九五・二厘米　橫四三・四厘米　一九五二年作　浙江省博物館藏

題識：西溪水源出自天目諸峰　紆迴曲折　境最幽邃　兹以范華原意寫之　壬辰　八十九叟賓虹

鈐印：黃賓虹　冰上鴻飛館

臨安山水　紙本　縱七六・一厘米　橫三一・六厘米　一九五二年作　浙江省博物館藏

題識：董玄宰宗北苑　啓禎諸賢力爭上游　師其意而不襲其貌　茲以臨安山色寫之　壬辰　八十九叟賓虹

鈐印：黃賓虹

江上晴帆　紙本　縱八七・八厘米　橫三一・二厘米　一九五二年作　浙江省博物館藏

題識：江上晴帆　壬辰　賓虹年八十又九

鈐印：賓虹

山水 紙本 縱一〇六·二厘米 橫四七·三厘米 浙江省博物館藏

鈐印：黄賓虹印

山水

紙本　縱五八·七厘米　橫三一·一厘米　浙江省博物館藏

山水　紙本　縱六四厘米　橫三〇厘米　浙江省博物館藏

山水

紙本　縱八四厘米　橫四五厘米　浙江省博物館藏

池陽齊山　紙本　縱九一．三厘米　橫四五厘米　一九五二年作　浙江省博物館藏

題識：池陽齊山　岩洞林巒山村野店極盛于三唐　近二百年游人罕至其處　余擬卜築栖宿湖山深邃　耕釣自給　塵勞奔走　垂垂老矣　圖此以志雪泥鴻爪□　壬辰　賓虹年八十又九

鈐印：黃賓虹印

山水

紙本 縱八九厘米 橫四七·五厘米 浙江省博物館藏

山水　紙本　縱七三·六厘米　橫三二·四厘米　浙江省博物館藏

鈐印：黄賓虹

山水

紙本　縱一〇一厘米　横三四厘米　浙江省博物館藏

山水 紙本 縱一一五·九厘米 橫四七·六厘米 浙江省博物館藏

鈐印：黄賓虹印

山水　紙本　縱一二〇・八厘米　横四七・五厘米　一九五二年作　浙江省博物館藏

題識：畫宗北宋　渾厚華滋　不蹈浮薄之習　斯爲正軌　及清道咸　文藝興盛　已逾前人　民族所關　發揚真性　幾于至道　豈偶然哉　壬辰　賓虹年八十又九

鈐印：黄賓虹印

山水

紙本　縱八二厘米　橫四二厘米　浙江省博物館藏

山水 紙本 縱七二·七厘米 橫四一·二厘米 浙江省博物館藏

鈐印：黄質賓虹 虹廬

山水　紙本　縱八八·五厘米　橫三八厘米　浙江省博物館藏

山水　紙本　縱八八厘米　橫三六・九厘米　浙江省博物館藏
鈐印：黄賓虹印

山水　紙本　縱七二厘米　横三二厘米　浙江省博物館藏

鈐印：冰上鴻飛館

山水 紙本 縱七三厘米 橫三四厘米 浙江省博物館藏

鈐印：黄賓虹 竹窗

山水

紙本　縱七四厘米　橫四六厘米　浙江省博物館藏

山水 紙本 縱一一一厘米 橫五一·一厘米 浙江省博物館藏

山水　紙本　縱二五·五厘米　橫一二八厘米　浙江省博物館藏

山水

紙本　縱八四·五厘米　橫三二·五厘米　浙江省博物館藏

黃山松谷　紙本　縱九〇厘米　橫二八·五厘米　一九五二年作　中國美術館藏

題識：黃山松谷　白龍潭上即景寫此　今足成之　壬辰　賓虹

鈐印：黃賓虹

山水

紙本　縱八九厘米　橫四〇·五厘米　浙江省博物館藏

山水　紙本　縱七三厘米　橫四一厘米　浙江省博物館藏

桃花溪舊迹　紙本　縱七八·四厘米　橫三二·二厘米　一九五二年作　私人藏

題識：西湖北高峰下　舊有桃溪　近于元人畫中見之　因擬其意　八十九叟賓虹

鈐印：黃賓虹

夏山蒼翠圖 紙本 縱九九厘米 横三八·五厘米 浙江省博物館藏

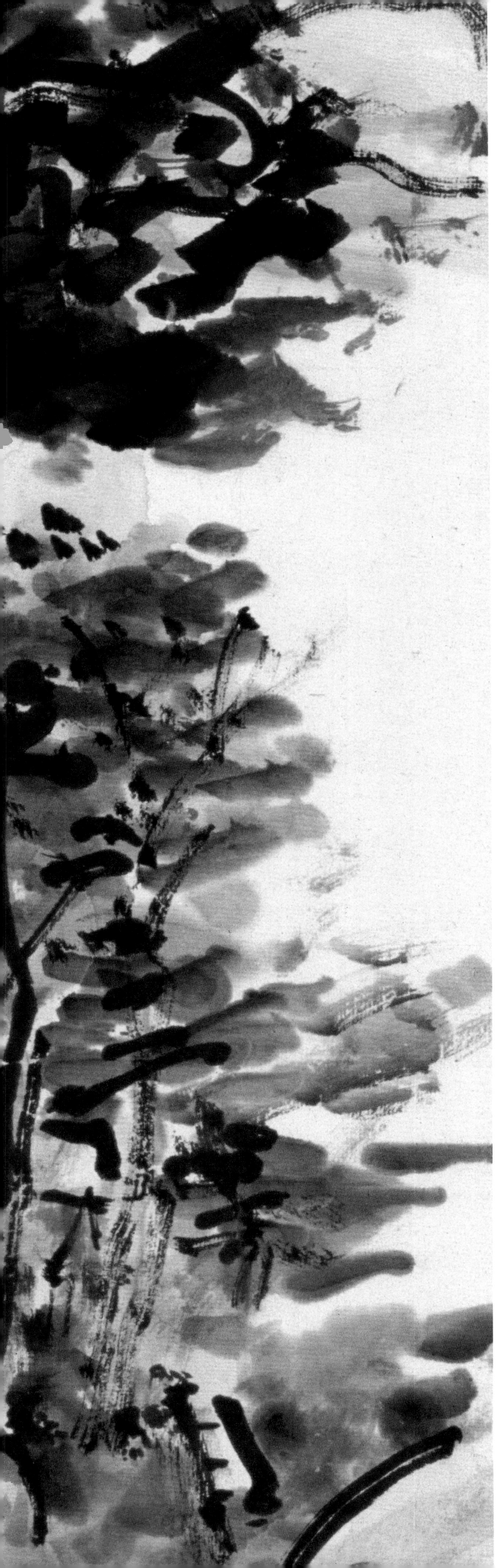

夏山蒼翠圖（局部）

湖上曉望北山　紙本　縱七六·一厘米　橫三一·五厘米　一九五二年作　浙江省博物館藏

題識：湖上曉望北山　雲氣出没林壑中　以范華原筆意寫此　壬辰　賓虹年八十又九

鈐印：賓虹

山水 紙本 縱九六厘米 橫四五厘米 浙江省博物館藏

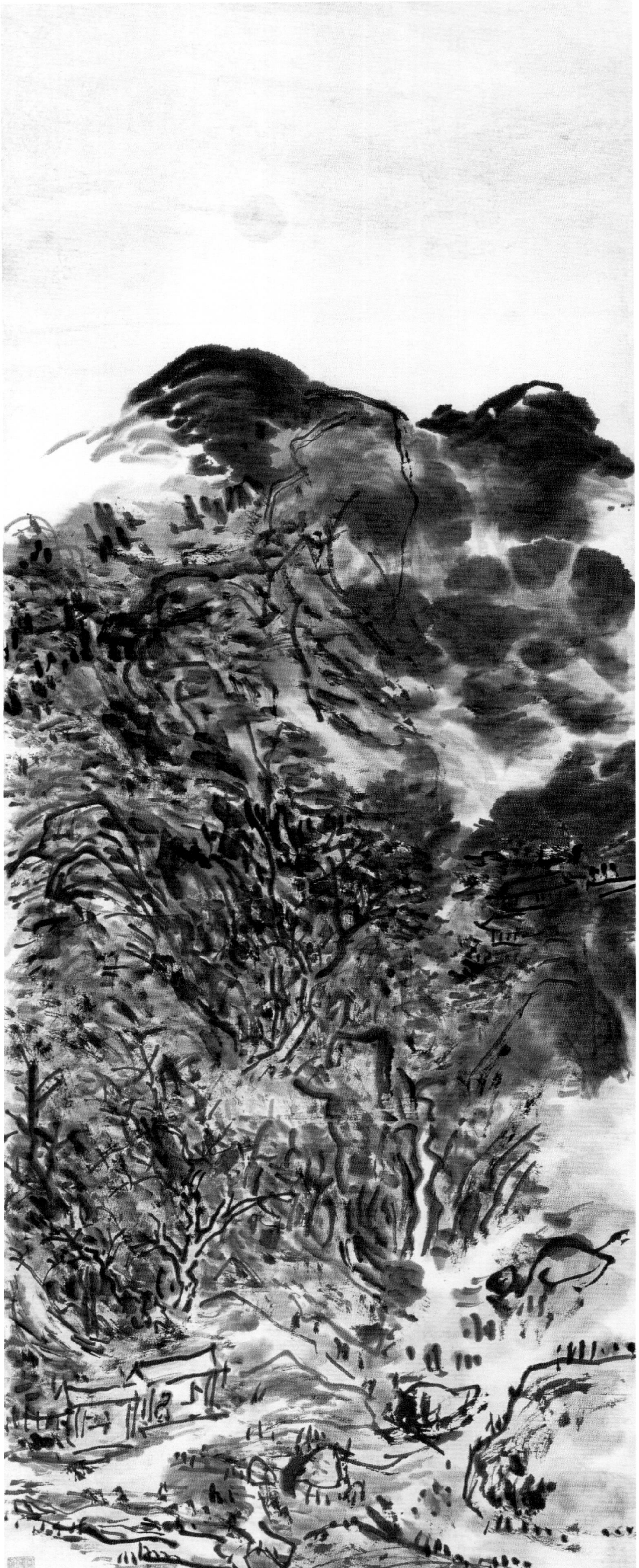

山水　紙本　縱一一六厘米　橫四三厘米　浙江省博物館藏

山水　紙本　縱一〇三・二厘米　橫四七・三厘米　浙江省博物館藏

鈐印：黃賓虹印

山水　紙本　縱八八厘米　橫三七·五厘米　浙江省博物館藏

山水　紙本　縱九七厘米　橫五五·五厘米　浙江省博物館藏

山水 紙本 縱八六·五厘米 橫三二·五厘米 浙江省博物館藏

山水 紙本 縱五九厘米 橫三二厘米 浙江省博物館藏

山水 紙本 縱八九厘米 橫三八厘米 浙江省博物館藏

山水

紙本　縱八六厘米　橫四二·五厘米　浙江省博物館藏

山水　紙本　縱六八厘米　橫四二厘米　浙江省博物館藏

鈐印：黄賓虹

山水　紙本　縱八五厘米　橫四五·五厘米　浙江省博物館藏

山水 紙本 縱六七·五厘米 横三四·五厘米 浙江省博物館藏

山水

紙本　縱八六・五厘米　橫三二・五厘米　浙江省博物館藏

舟入溪山　紙本　縱九六·四厘米　横五〇·五厘米　一九五二年作　浙江省博物館藏

題識：舟入溪山深處　烟霭空濛　襟袖欲濕　恍若置身圖畫中　神游汾穆　作羲皇上人　今偶寫此　似爲近之　壬辰冬日　賓虹

鈐印：黄賓虹

山水

紙本　縱八六·七厘米　橫三七·一厘米　浙江省博物館藏

山水　紙本　縱八二・五厘米　橫三九・五厘米　一九五二年作　浙江省博物館藏

題識：元季畫家多宗北宋　變繁爲簡　寓實于虛　虛中有實較實尤難　此爲寫意　東坡言　畫不求形似　精神所在　千古不磨　不洵然哉　壬辰　賓虹年八十又九

鈐印：黃賓虹

山水 紙本 縱六九·二厘米 橫三一·三厘米 浙江省博物館藏

鈐印：黃質賓虹

山水

紙本　縱六五·五厘米　橫三四·五厘米　浙江省博物館藏

山水

紙本　縱六七厘米　橫三三·五厘米　浙江省博物館藏

山水 紙本 縱一〇九・二厘米 橫四〇・六厘米 浙江省博物館藏

山水

紙本　縱六七·五厘米　橫三一厘米　浙江省博物館藏

山水

紙本 縱六〇・五厘米 橫三二・五厘米 浙江省博物館藏

山水　紙本　縱一二三·九厘米　橫四七·五厘米　浙江省博物館藏

鈐印：黄賓虹印

山水 紙本 縱九五·五厘米 橫三四·五厘米 浙江省博物館藏

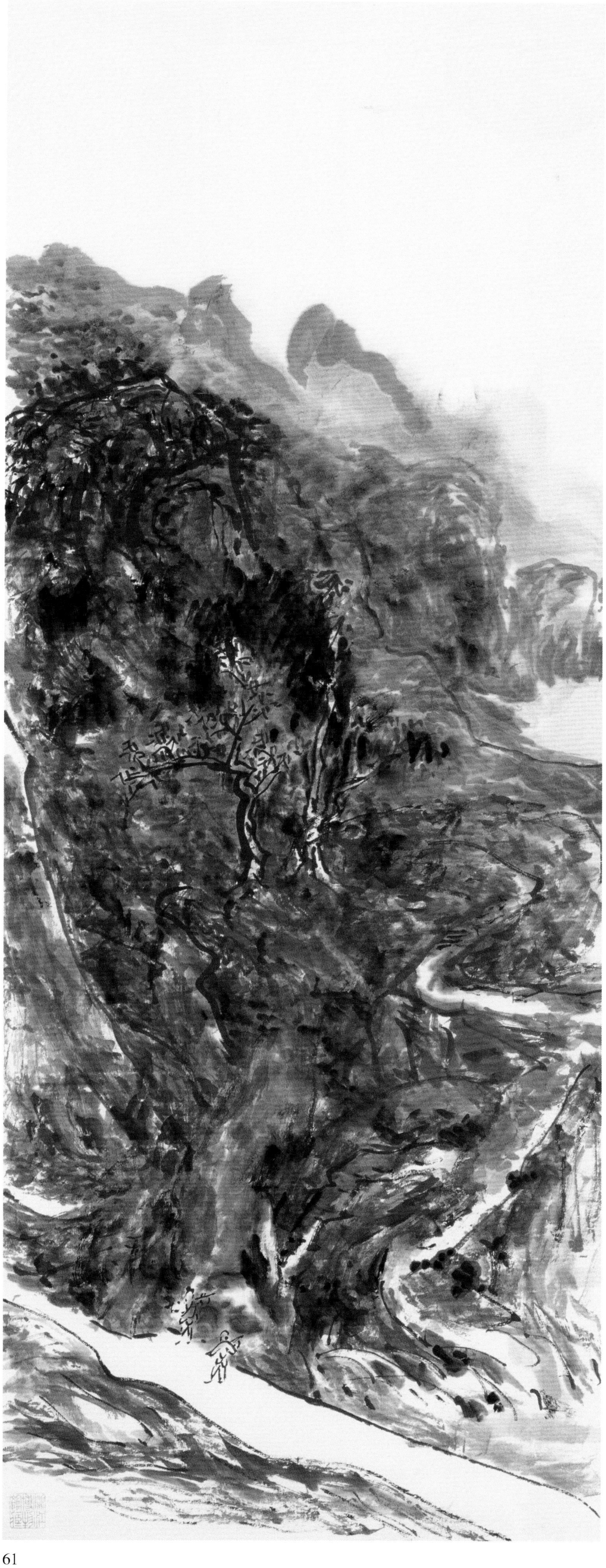

山水　紙本　縱八三·五厘米　橫三一·五厘米　浙江省博物館藏

山水 紙本 縱七五・六厘米 橫四〇・七厘米 浙江省博物館藏

鈐印：賓虹

山水 紙本 縱六八厘米 橫三一·五厘米 浙江省博物館藏

山水

紙本　縱九五厘米　橫三四厘米　浙江省博物館藏

山水　紙本　縱七二・二厘米　橫四〇・三厘米　浙江省博物館藏

題識：宛委藏書　承以文玉　覆以盤石　大禹得之　可知治水　賓虹

鈐印：黃賓虹

山水 紙本 縱九三厘米 橫三四厘米 浙江省博物館藏

山水 紙本 縱九六厘米 橫三二厘米 浙江省博物館藏

鈐印：黃賓虹印

山水 紙本 縱七六厘米 橫三三厘米 浙江省博物館藏

山水 紙本 縱八九厘米 橫三六·五厘米 浙江省博物館藏

黃山朱砂泉　紙本　縱一一三·六厘米　橫五五厘米　一九五二年作　浙江省博物館藏

題識：前人論畫謂　實處易虛處難　唐畫刻劃　吳裝時習　皆蘇米所不取　北宋畫雲中山頂　始知用虛　元季黃大痴墨中藏筆　倪迂筆中藏墨　運實于虛　虛中有實　冠冕古今　明初吳偉張路郭詡蔣三松輩入野狐禪　文沈力追元人　挽救流弊　失之枯硬　虞山婁東鄰于浮靡　及道咸中金石學盛　畫亦復明　近法啓禎諸賢　遠師北宋　若吳侃叔張叔憲包慎伯齊玉谿　得數十人　均以學識聞博　不蹈時趨　跖實翔虛　由繁而簡　玆以黃山朱砂泉寫之　壬辰　八十九叟賓虹　時次西泠

鈐印：黃賓虹　緑雪軒　黃山山中人

山水　紙本　縱七三·五厘米　橫二七·五厘米　浙江省博物館藏

山水　紙本　縱一〇六厘米　橫三四厘米　浙江省博物館藏

山水 紙本 縱九二·五厘米 橫三二·五厘米 浙江省博物館藏

山水

紙本 縱一〇八厘米 橫四五厘米 浙江省博物館藏

山水 紙本 縱七七·二厘米 橫三二·三厘米 一九五二年作 浙江省博物館藏

題識：范華原筆渾厚華滋 爲六法正軌 壬辰 八十九叟賓虹擬古

山水　紙本　縱九五・八厘米　橫三八・七厘米　浙江省博物館藏

山水 紙本 縱一〇三厘米 橫四八厘米 浙江省博物館藏

山水

紙本　縱五九厘米　横三二厘米　浙江省博物館藏

山水 紙本 縱一〇七厘米 橫四五厘米 浙江省博物館藏

山水

紙本 縱七二厘米 橫三二厘米 浙江省博物館藏

山水 紙本 縱八八·八厘米 橫三六·四厘米 浙江省博物館藏
鈐印：潭上質印 賓虹

山水

紙本　縱六一厘米　橫三二厘米　浙江省博物館藏

山水 紙本 縱一〇一厘米 橫四七·五厘米 浙江省博物館藏

山水 紙本 縱九七·五厘米 橫四二·五厘米 浙江省博物館藏
鈐印：黃賓虹印

山水　紙本　縱六〇厘米　橫三二厘米　浙江省博物館藏

山水

紙本　縱四八厘米　横三三・五厘米　浙江省博物館藏

山水

紙本　縱八八·五厘米　橫三七·五厘米　浙江省博物館藏

山水 紙本 縱九七厘米 橫四四·五厘米 浙江省博物館藏

山水 紙本
縱七八·五厘米
橫五五·五厘米
浙江省博物館藏

山水　紙本
縱六六厘米　橫四八厘米
浙江省博物館藏

山水 紙本 縱四三·四厘米 橫一八·六厘米 一九五二年作 浙江省博物館藏

題識：壬辰 八十九叟賓虹

山水　紙本　縱七四厘米　橫三四厘米　浙江省博物館藏

湖舍晴初　紙本　縱三二厘米　橫八八厘米
一九五二年作　香港緣山堂藏
題識：湖舍晴初　壬辰　八十九叟賓虹
鈐印：黄賓虹　黄山山中人

山水　紙本　縱五一·五厘米　橫二四·五厘米　浙江省博物館藏

山水 紙本 縱八八·五厘米 橫三七·五厘米 浙江省博物館藏

冬寒萬木枯　紙本　縱一二〇・八厘米　橫四七・五厘米　一九五二年作　浙江省博物館藏

題識：冬寒萬木枯　舟行依石隙　遄歸指夏漲　山腹見江迹　壬辰　八十九叟賓虹

鈐印：黃賓虹印

山水

紙本 縱一〇八厘米 橫三四厘米 浙江省博物館藏

山水 紙本 縱一一五厘米 橫四八厘米 浙江省博物館藏

山水　紙本　縱一〇三厘米　横四四厘米　浙江省博物館藏

山水 紙本 縱一〇一·三厘米 横四二·七厘米 一九五二年作 浙江省博物館藏

題識：唐人刻劃炫丹青 北宋翻新見性靈 渾厚華滋民族 惟宗古訓忌圖經 民字上漏我字 壬辰冬日 八十九叟賓虹

鈐印：黃賓虹 片石居

山水　紙本　縱一一五·二厘米　橫四七·五厘米　浙江省博物館藏
鈐印：黄賓虹印

山水　紙本　縱八七・四厘米　横四八・五厘米　一九五二年作　浙江省博物館藏

題識：集名離垢入邗江　飽墨淋漓興未降　師古未容求脱早　虎兒筆力鼎能扛　華新羅畫　論者謂其求脱太早　道咸中　包安吴趙撝叔諸賢超軼前人　可信　壬辰　八十九叟賓虹

鈐印：黄賓虹　冰上鴻飛館

擬北宋人筆意　紙本　縱八八厘米　橫四八厘米　一九五二年作　香港緣山堂藏

題識：居素吾兄近得坡公墨竹真迹　因擬北宋人筆意博笑　壬辰　賓虹年八十又九

鈐印：黄賓虹　取諸懷抱

山水　紙本　縱七七厘米　橫三二·五厘米　浙江省博物館藏

山水

紙本 縱一〇〇厘米 橫三九厘米 浙江省博物館藏

山水

紙本　縱六一厘米　橫三四厘米　浙江省博物館藏

山水

紙本　縱六八厘米　橫三四厘米　浙江省博物館藏

山水 紙本 縱九六・九厘米 橫四一・七厘米 浙江省博物館藏

鈐印：黃賓虹 賓虹

夔巫山水 紙本 縱八七厘米 橫三三厘米 一九五二年作 私人藏

題識：夔巫山水 舟行所見 呵凍圖此 壬辰 賓虹年八十又九

鈐印：黄賓虹

清溪垂釣 紙本 縱八七厘米 橫三二·五厘米 一九五二年作 浙江省博物館藏

題識：清溪垂釣 壬辰 賓虹年八十又九

鈐印：黃賓虹 冰上鴻飛館

山水　紙本　縱八三厘米　橫三九厘米　浙江省博物館藏

山水 紙本 縱一〇五厘米 橫四一厘米 浙江省博物館藏

山水

紙本　縱九七厘米　橫四六·五厘米　浙江省博物館藏

山水　紙本　縱八七厘米　橫四八厘米　浙江省博物館藏

山水

紙本　縱九七厘米　橫三九厘米　浙江省博物館藏

山水

紙本　縱八九·五厘米　橫三四厘米　浙江省博物館藏

山水

紙本　縱九六・五厘米　橫三九・五厘米　浙江省博物館藏

山水 紙本 縱九三・五厘米 橫四七・五厘米 浙江省博物館藏

山水　紙本　縱八九·五厘米　橫三七厘米　浙江省博物館藏

山水

紙本　縱二一厘米　橫一〇一厘米　浙江省博物館藏

山水 紙本 縱九七厘米 橫四二·五厘米 浙江省博物館藏

山水 紙本 縱一一七厘米 橫四八厘米 浙江省博物館藏

山水　紙本　縱八七·四厘米　橫三一·六厘米　一九五二年作　浙江省博物館藏

題識：不朽先尊立德功　無聲詩入有言中　世稱神妙能三品　一藝雖微奪化工　老子言道法自然　人爲實勝天造　當非虛語　壬辰　八十九叟賓虹畫并詩

鈐印：黃賓虹　冰上鴻飛館

山水　紙本　縱九〇厘米　橫三三厘米　一九五二年作　中央美術學院美術館藏

題識：山川渾厚　草木華滋　壬辰　八十九叟賓虹

鈐印：虹廬　取諸懷抱

山水 紙本 縱九六·八厘米 橫三九·二厘米 浙江省博物館藏

山水 紙本 縱九九厘米 橫三九厘米 浙江省博物館藏

山水　紙本　縱八七·九厘米　橫三六·五厘米　浙江省博物館藏

鈐印：賓虹

山水

紙本　縱一〇八厘米　橫三二厘米　浙江省博物館藏

山水　紙本　縱八五厘米　橫四八厘米　浙江省博物館藏

山水

紙本　縱一〇五·五厘米　橫四九·五厘米　浙江省博物館藏

山水 紙本 縱八九厘米 橫三一·五厘米 浙江省博物館藏

山水　紙本　縱八九厘米　横三二·五厘米　浙江省博物館藏

山水

紙本　縱八七·五厘米　橫三二厘米　浙江省博物館藏

山水 紙本

縱四一・五厘米 橫九七厘米

浙江省博物館藏

山水 紙本 縱三八・五厘米 橫二六・五厘米 一九五二年作 浙江省博物館藏

題識：霜庵先生一笑 壬辰 八十九叟賓虹 鈐印：虹廬

山水 紙本 縱三二厘米 橫二二厘米 浙江省博物館藏

山水 紙本 縱一〇三厘米 橫三四·五厘米 浙江省博物館藏

山水 紙本 縱八七·一厘米 橫三二厘米 浙江省博物館藏
鈐印：賓虹

山水
紙本　縱六六厘米　橫三四厘米　浙江省博物館藏

山水　紙本　縱六七・五厘米　橫三〇・五厘米　浙江省博物館藏

山水　紙本　縱七九·二厘米　橫三七·五厘米　一九五二年作　私人藏

題識：北宋人畫雲中山頂　運實于虛　一變唐代刻劃　玆擬其意　世清學兄博笑

壬辰　賓虹年八十又九

鈐印：黃賓虹　冰上鴻飛館

山水
紙本 縱九六·五厘米 橫三六·五厘米 浙江省博物館藏

山水

紙本　縱八二厘米　横四〇厘米　浙江省博物館藏

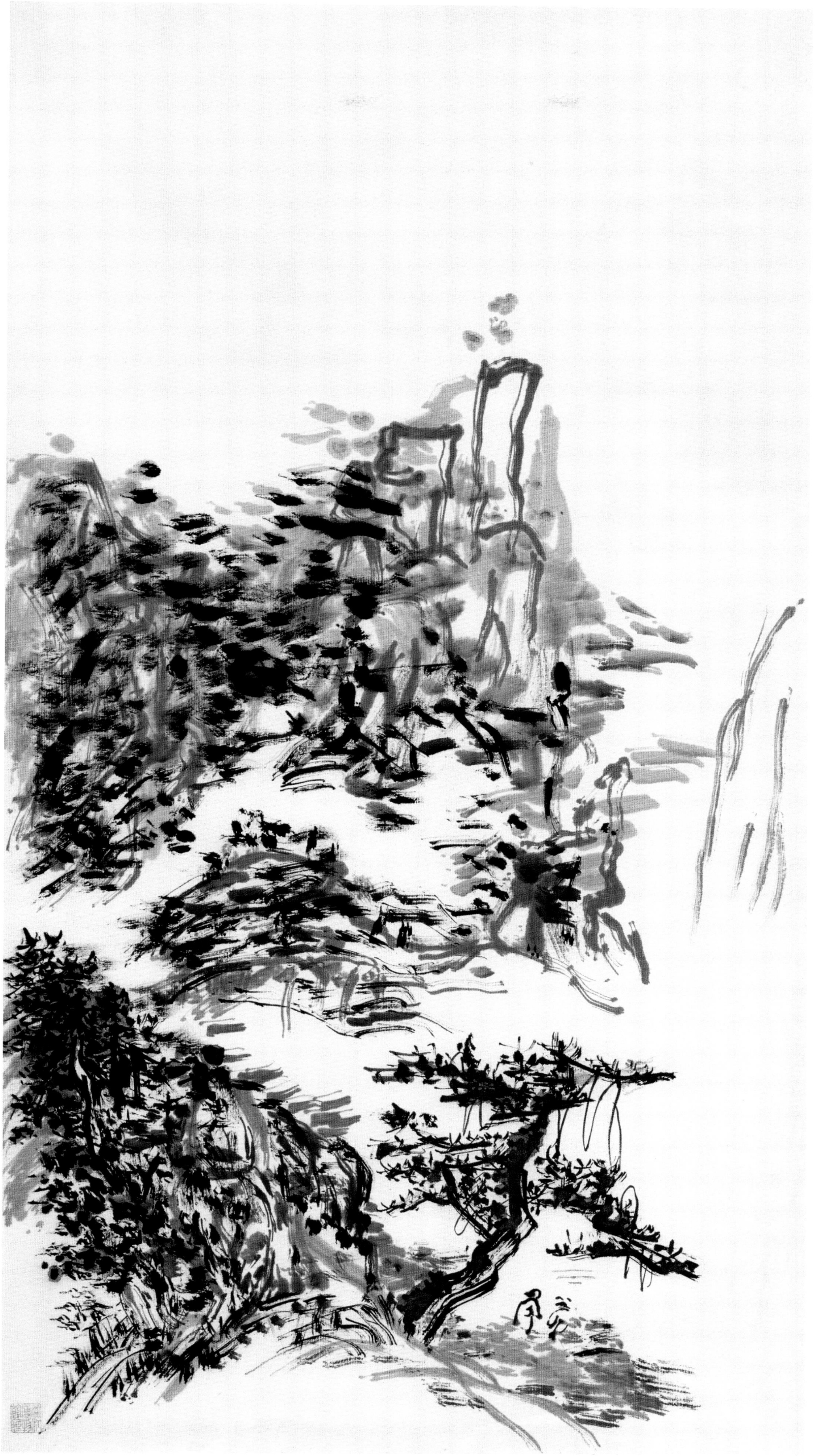

山水

紙本　縱九二厘米　橫四九厘米　浙江省博物館藏

和合乾坤春不老 紙本 縱一二〇厘米 橫四七厘米 一九五三年作 浙江省博物館藏

題識：和合乾坤春不老 平分晝夜日初長 寫將渾厚華滋意 民物欣欣見阜康 癸巳初春 賓虹畫并詩

鈐印：黃賓虹 冰上鴻飛館

山水 紙本 縱七六厘米 橫四一厘米 浙江省博物館藏

鈐印：冰上鴻飛館

山水
紙本　縱二二厘米　横一一一厘米　浙江省博物館藏

山水

紙本　縱八七·五厘米　橫四九厘米　浙江省博物館藏

江上漁舟　紙本　縱九五·五厘米　橫三六·七厘米　一九五三年作　浙江省博物館藏

題識：江上漁舟　癸巳之春　賓虹年九十

鈐印：黃賓虹　冰上鴻飛館

山水

紙本 縱九七厘米 橫三七厘米 浙江省博物館藏

山水 紙本 縱九六·一厘米 橫三六·三厘米 浙江省博物館藏

鈐印：黄賓虹印

山水

紙本　縱九一·五厘米　橫三二厘米　浙江省博物館藏

山水

紙本 縱九六厘米 橫三六·五厘米 浙江省博物館藏

山水 紙本
縱三三·五厘米
橫二二·五厘米
私人藏
鈐印：黃冰鴻

山水　紙本
縱三一・四厘米
橫二二・四厘米
浙江省博物館藏
鈐印：黃冰鴻

山水　紙本　縱八四厘米　横三〇厘米　浙江省博物館藏

山水 紙本 縱八六厘米 橫四八・五厘米 浙江省博物館藏

山水　紙本　縱七三·五厘米　橫二四·五厘米　浙江省博物館藏

山水

紙本　縱一二二厘米　横四八厘米　浙江省博物館藏

山水

紙本　縱九七厘米　橫三七厘米　浙江省博物館藏

蒼生霖雨　紙本　縱八六·四厘米　橫三六·六厘米　一九五三年作　浙江省博物館藏

題識：蒼生霖雨　癸巳春日　賓虹

山水 紙本 縱一一九厘米 橫四七·五厘米 一九五三年作 中國美術學院藏

釋文：癸巳之春 賓虹年九十

鈐印：黃賓虹

峨嵋龍門峽　紙本　縱八九·二厘米　橫三七·七厘米　浙江省博物館藏

題識：峨嵋龍門峽紀游　癸巳　賓虹年九十重題

鈐印：黃賓虹　冰上鴻飛館

山水 紙本 縱八九·四厘米 橫三七·七厘米 浙江省博物館藏

山水　紙本　縱九一厘米　横三三厘米　浙江省博物館藏

山水

紙本　縱八五・五厘米　橫三二・五厘米　浙江省博物館藏

山水　紙本　縱一一〇厘米　橫三八·五厘米　浙江省博物館藏

山水

紙本　縱八六厘米　橫三二厘米　浙江省博物館藏

山水 紙本 縱一一〇厘米 橫四一·五厘米 浙江省博物館藏

鈐印：黄賓虹印

山水 紙本 縱一〇八·八厘米 橫五二·五厘米 浙江省博物館藏

鈐印：黄賓虹印

山水

紙本　縱九六厘米　橫三六·五厘米　浙江省博物館藏

山水　紙本　縱八八厘米　橫三二·五厘米　浙江省博物館藏

山水

紙本　縱七三厘米　橫三二厘米　浙江省博物館藏

山水

紙本　縱八九厘米　橫三八厘米　浙江省博物館藏

山水

紙本　縱七二厘米　橫三三厘米　浙江省博物館藏

山水 紙本 縱八八厘米 橫三八・五厘米 浙江省博物館藏

山水　紙本　縱五七厘米　橫三三厘米　浙江省博物館藏

山水

紙本 縱七五厘米 横四六·五厘米 浙江省博物館藏

黃山朱砂泉　紙本　縱八七·五厘米　橫三五·九厘米　一九五三年作　浙江省博物館藏

題識：黃山朱砂泉　癸巳　賓虹年九十

鈐印：黃賓虹　冰上鴻飛館

山水

紙本　縱八九·五厘米　橫三六厘米　浙江省博物館藏

山水　紙本　縱一二〇厘米　橫四八厘米　浙江省博物館藏

山水

紙本　縱一一五厘米　横四四·五厘米　浙江省博物館藏

山水

紙本　縱八二厘米　横三〇厘米　浙江省博物館藏

山水 紙本 縱八九厘米 橫三一·五厘米 浙江省博物館藏

山水　紙本　縱一〇六厘米　橫四〇·五厘米　浙江省博物館藏

山水

紙本 縱六〇・五厘米 橫三一・五厘米 浙江省博物館藏

山水 紙本 縱七六·三厘米 橫四七·九厘米 浙江省博物館藏 鈐印：黄賓虹印

山水

紙本　縱一〇四厘米　橫四八厘米　浙江省博物館藏

溪橋烟雨　紙本　縱八六·五厘米　橫三一·五厘米　一九五三年作　浙江省博物館藏

題識：溪橋烟雨　栖霞嶺曉望北高峰寫此　癸巳　賓虹年九十

鈐印：黄賓虹　冰上鴻飛館

山水　紙本　縱九六·五厘米　橫四〇厘米　浙江省博物館藏

山水 紙本 縱一〇八厘米 橫三四厘米 浙江省博物館藏

山水

紙本　縱一一〇·四厘米　橫三七·一厘米　浙江省博物館藏

山水

紙本　縱九六·五厘米　横四四·九厘米　浙江省博物館藏

山水 紙本 縱八七厘米 橫四八厘米 浙江省博物館藏

山水　紙本　縱六八厘米　橫三四厘米　浙江省博物館藏

山水　紙本　縱八七厘米　橫四八厘米　浙江省博物館藏

山水

紙本　縱一一〇厘米　橫四九厘米　浙江省博物館藏

山水 紙本 縱八九·五厘米 橫三一·五厘米 浙江省博物館藏

山水

紙本　縱八二厘米　橫三二厘米　浙江省博物館藏

山水　紙本　縱八五厘米　横四二厘米　浙江省博物館藏

山水

紙本　縱八八·五厘米　橫三六厘米　浙江省博物館藏

山水

紙本　縱九五厘米　橫三四厘米　浙江省博物館藏

山水

紙本　縱一〇一厘米　橫三五厘米　浙江省博物館藏

山水 紙本 縱一〇二厘米 橫三四厘米 浙江省博物館藏

山水　紙本　縱一一〇厘米　橫三八厘米　浙江省博物館藏

黃山境幽　紙本　縱九六·三厘米　橫三八·七厘米　一九五三年作　浙江省博物館藏

題識：黃山雲谷至西海門　境至幽邃　仿佛其意寫之　癸巳　賓虹年九十

山水

紙本　縱八八·五厘米　橫三六厘米　浙江省博物館藏

山水　紙本　縱九二厘米　橫三二厘米　浙江省博物館藏

山水

紙本　縱九一·五厘米　橫三三厘米　浙江省博物館藏

山水
紙本　縱八四厘米　橫三一・五厘米　浙江省博物館藏

山水

紙本　縱一一七厘米　橫四九厘米　浙江省博物館藏

山水　紙本　縱九一厘米　橫三三厘米　浙江省博物館藏

山水 紙本 縱九六厘米 橫三〇·五厘米 浙江省博物館藏

山水
紙本　縱八五厘米　橫三二厘米　浙江省博物館藏

山水

紙本　縱九一厘米　横三三厘米　浙江省博物館藏

山水

紙本　縱一一五厘米　橫四四·五厘米　浙江省博物館藏

山水 紙本 縱九六·五厘米 橫三七厘米 浙江省博物館藏

山水

紙本　縱八七厘米　橫三二·五厘米　浙江省博物館藏

山水 紙本 縱九六·四厘米 橫四三·七厘米 浙江省博物館藏

山水
紙本　縱七六·五厘米　橫三〇·五厘米　浙江省博物館藏

山水 紙本 縱一〇一厘米 橫三四厘米 浙江省博物館藏

山水

紙本　縱八八厘米　橫三一·五厘米　浙江省博物館藏

山水

紙本　縱八八厘米　橫三二厘米　浙江省博物館藏

山水

紙本　縱九〇厘米　橫三二厘米　浙江省博物館藏

山水　紙本　縱九六厘米　橫三四厘米　浙江省博物館藏

山水
紙本　縱八二厘米　橫三〇·五厘米　浙江省博物館藏

山水 紙本 縱一〇三·五厘米 橫四一·五厘米 浙江省博物館藏

山水　紙本　縱九二厘米　橫三二·五厘米　浙江省博物館藏

山水 紙本 縱一〇三厘米 橫四八·五厘米 浙江省博物館藏

山水　紙本　縱九一厘米　横三二厘米　浙江省博物館藏

宿雨初收　紙本　縱九〇・七厘米　橫二七・八厘米　浙江省博物館藏

題識：宿雨初收　曉烟未泮　蓮花峰下　仿佛斯境　賓虹

鈐印：黃賓虹

山水 紙本 縱七六厘米 橫三三·五厘米 浙江省博物館藏

山水 紙本 縱九六·五厘米 橫四三·五厘米 浙江省博物館藏

雲山欲雨 紙本 縱九五厘米 横三三厘米 一九五三年作 香港緣山堂藏

題識：雲山欲雨 癸巳 賓虹年九十 祝如先生

鈐印：黄賓虹

山水　紙本　縱九五厘米　橫三四·五厘米　浙江省博物館藏

山水 紙本 縱三一·五厘米 橫一七四厘米 浙江省博物館藏

山水

紙本　縱九六厘米　橫四五·五厘米　浙江省博物館藏

山水

紙本　縱六八·五厘米　橫三二·五厘米　浙江省博物館藏

山水 紙本 縱九六厘米 橫四三·二厘米 浙江省博物館藏

山水

紙本　縱一一〇厘米　横四八·五厘米　浙江省博物館藏

山水　紙本　縱八六厘米　橫四八·五厘米　浙江省博物館藏

山水

紙本　縱一一五厘米　橫四八厘米　浙江省博物館藏

山水　紙本

縱三六厘米　橫七六厘米

浙江省博物館藏

山水　紙本　縱九五·二厘米　橫四四厘米　浙江省博物館藏

山水

紙本　縱一〇八厘米　横三四·五厘米　浙江省博物館藏

山水　紙本　縱一〇九厘米　橫三八·五厘米　浙江省博物館藏

山水　紙本　縱九二厘米　橫三二厘米　浙江省博物館藏

山水

紙本　縱八九厘米　橫三八・五厘米　浙江省博物館藏

山水 紙本 縱一〇二厘米 橫四〇·五厘米 浙江省博物館藏

山水　紙本　縱九二厘米　橫四六厘米　浙江省博物館藏

山水
紙本　縱一〇八厘米　橫四七·五厘米　浙江省博物館藏

山水

紙本　縱一〇六厘米　橫四八·五厘米　浙江省博物館藏

山水

紙本　縱六六·五厘米　橫三一厘米　浙江省博物館藏

山水

紙本　縱一〇六厘米　横四二厘米　浙江省博物館藏

山水

紙本 縱一一八厘米 橫四九厘米 浙江省博物館藏

山水 紙本 縱一〇九厘米 橫三四·五厘米 浙江省博物館藏

山水

紙本　縱八五·五厘米　橫三四厘米　浙江省博物館藏

溪山深處 紙本 縱八四·四厘米 橫三一·六厘米 一九五三年作 浙江省博物館藏

題識：溪山深處 張壺山畫與垢道人相近 道同志合 茲一擬之 癸巳 賓虹年九十

鈐印：黃賓虹

山水

紙本　縱八八·五厘米　橫三七·五厘米　浙江省博物館藏

山水 紙本 縱八八厘米 橫三六·五厘米 浙江省博物館藏

山水 紙本 縱一〇二厘米 横四四·五厘米 浙江省博物館藏

山水　紙本　縱一二一厘米　横四八厘米　浙江省博物館藏

山水

紙本　縱八七·七厘米　横三五·一厘米　浙江省博物館藏

山水

紙本　縱九二厘米　橫三一厘米　浙江省博物館藏

山水　紙本　縱八七·五厘米　橫三六厘米　浙江省博物館藏

山水
紙本　縱一一六厘米　橫四八·五厘米　浙江省博物館藏

山水

紙本　縱八七厘米　橫三二厘米　浙江省博物館藏

山水　紙本　縱八六厘米　橫三二厘米　浙江省博物館藏

山水

紙本 縱八二厘米 橫三二厘米 浙江省博物館藏

山水　紙本　縱一〇二厘米　橫三四·五厘米　浙江省博物館藏

山水

紙本　縱一一〇厘米　橫四二厘米　浙江省博物館藏

山水　紙本　縱一〇一厘米　橫三四・五厘米　浙江省博物館藏

山水　紙本　縱九七厘米　橫三〇·五厘米　浙江省博物館藏

山水　紙本　縱八六厘米　橫三九厘米　浙江省博物館藏

山水　紙本　縱八八厘米　橫三七·五厘米　浙江省博物館藏

山水　紙本　縱一〇六厘米　横四二厘米　浙江省博物館藏

山水

紙本　縱八六·五厘米　橫三二厘米　浙江省博物館藏

山水

紙本　縱八三·五厘米　橫三〇厘米　浙江省博物館藏

野橋山店　紙本　縱八七·六厘米　橫四八·五厘米　一九五三年作　浙江省博物館藏

題識：野橋山店　見村居烟雨中有事東疇　得一犁春（雨）足之致　因寫其意　癸巳　賓虹年九十

鈐印：黃賓虹　冰上鴻飛館

山水

紙本　縱八七厘米　橫三四厘米　浙江省博物館藏

山水 紙本 縱六〇厘米 横三二·五厘米 浙江省博物館藏

山水

紙本　縱一〇〇厘米　橫三八厘米　浙江省博物館藏

桃花溪舊迹 紙本
縱五一・一厘米
橫三八・一厘米
一九五三年作
浙江省博物館藏
題識：棲霞嶺下　舊有桃花溪　今澗路略辨寫此
癸巳　賓虹年九十

山水　紙本
縱五八·五厘米　橫三九厘米
浙江省博物館藏

山水 紙本
縱四四厘米 橫三一・五厘米
浙江省博物館藏

山水 紙本
縱五三·三厘米 橫三五·九厘米
浙江省博物館藏

山水　紙本　縱九六·五厘米　橫三九厘米　浙江省博物館藏

山水 紙本 縱六〇厘米 橫三二厘米 浙江省博物館藏

山水 紙本 縱六五·五厘米 橫三二·五厘米 浙江省博物館藏

山水 紙本 縱六五厘米 横三六·五厘米 浙江省博物館藏

山水 紙本 縱七〇・五厘米 橫三四厘米 浙江省博物館藏

山水

紙本　縱九七厘米　横三八厘米　浙江省博物館藏

山水

紙本　縱二九厘米　横三九厘米　浙江省博物館藏

山水

紙本　縱九七厘米　橫三四厘米　浙江省博物館藏

山水

紙本 縱七一厘米 橫二九·五厘米 浙江省博物館藏

山水

紙本 縱五四厘米 橫三二厘米 浙江省博物館藏

策　　劃・姜衍波　奚天鷹　王經春
主　　編・王伯敏
執行副主編・王經春
副 主 編・王肇達　趙雁君
分卷主編・童中燾　王克文　陸秀競　王大川
文字總監・梁　江
導　　語・駱堅群
責任編輯・田林海　王勝華　俞建華　王肇達
釋　　文・俞建華　王宏理
文字審校・俞建華
裝幀設計・毛德寶　俞佳迪　王肇達　田林海　王勝華
責任校對・黄　静
圖片攝影・葛立英　鄭向農

圖書在版編目（CIP）數據

黄賓虹全集.3，山水卷軸／《黄賓虹全集》編輯委員會編.—濟南：山東美術出版社；杭州：浙江人民美術出版社，2006.12（2014.4重印）

ISBN 978-7-5330-2334-8

Ⅰ.黄… Ⅱ.黄… Ⅲ.山水畫-作品集-中國-現代 Ⅳ.J222.7

中國版本圖書館CIP數據核字（2007）第015468號

出品人： 姜衍波　奚天鷹

出版發行： 山東美術出版社

濟南市勝利大街三十九號（郵編：250001）

http://www.sdmspub.com

電話：（0531）82098268　傳真：（0531）82066185

山東美術出版社發行部

濟南市勝利大街三十九號（郵編：250001）

電話：（0531）86193019　86193028

浙江人民美術出版社

杭州市體育場路三四七號（郵編：310006）

http://mss.zjcb.com

電話：（0571）85176548

浙江人民美術出版社營銷部

杭州市體育場路三四七號十九樓（郵編：310006）

電話：（0571）85176089　傳真：（0571）85102160

製版印刷： 深圳華新彩印製版有限公司

開本印張： 787×1092毫米　八開　四十二印張

版　　次： 二〇〇六年十二月第一版　二〇一四年四月第三次印刷

定　　價： 柒佰捌拾圓